Ydy'r ffeithiau yma'n ddiddorol i chi? Pa rai?

Dach chi wedi cerdded ar rai o'r llwybrau cyhoeddus?

Dach chi wedi bod i gopa'r Wyddfa? Sut aethoch chi?

## Yr Wyddfa

Yr Wyddfa ydy mynydd *uchaf* Cymru – 3,560 troedfedd (1,085 metr). Mae 14 mynydd arall yn Eryri dros 3,000 troedfedd.

## Tywydd yr Wyddfa

Mae hi'n bwrw glaw yn aml ar *gopa*'r Wyddfa ac mae hi'n wyntog hefyd – gwynt 150 milltir yr awr weithiau! Mae eira a *rhew* yno o fis Hydref *tan* fis Mai. Ond *oherwydd* y *newid hinsawdd*, mae *llai* o eira rŵan.

Ystyr 'gwyddfa' ydy *beddrod*. Ar gopa'r Wyddfa, mae llawer o gerrig, beddrod *cawr* o'r enw Rhita, efallai. 'Gwyddfa Rhita' oedd enw'r mynydd yn wreiddiol, *yn ôl y chwedl*.

Yn ôl y chwedl, mae *milwyr* y Brenin Arthur yn cysgu mewn *ogof* ym mynydd Y Lliwedd. Os bydd y Brenin yn *galw*, mi fydd y milwyr yn deffro i ymladd yn erbyn y Sacsoniaid.

## Dringo'r Wyddfa

Mi ddaeth Syr Edmund Hillary a'i dîm o *ddringwyr* i ymarfer ar yr Wyddfa cyn mynd i *ddringo* Everest am *y tro cyntaf*. Roedd Cymro o'r enw Charles Evans yn y tîm.

Mi wnaeth tîm Hillary aros yng ngwesty Penygwryd ar bwys Capel Curig. Mae *plac* yno i gofio am *hyn*.

TO CELEBRATE THE 45th ANNIVERSARY
OF THE CLIMBING OF EVEREST
1953 - 1998
JOHN HUNT

| | |
|---|---|
| CHARLES EVANS | GEORGE BAND |
| ALFRED GREGORY | TOM BOURDILLON |
| EDMUND HILLARY | GEORGE LOWE |
| WILFRED NOYCE | JAMES MORRIS |
| GRIFFITH PUGH | TOM STOBART |
| MICHAEL WESTMACOTT | TENZING NORGAY |
| CHARLES WYLIE | MICHAEL WARD |

uchaf – *highest* (uchel)
copa (g) – *peak*
rhew (g) – *frost*
tan – *until*
oherwydd – *because*
newid hinsawdd – *climate change*
llai – *less* (bach)
ystyr (g) – *meaning*
beddrod (g) – *grave*
cawr (g) – *giant*
yn ôl y chwedl – *according to the tale*
milwyr – *soldiers* (un. milwr g)
ogof (b) – *cave*
galw – *to call*
dringwyr – *climbers* (un. dringwr g)
dringo – *to climb*
y tro cyntaf – *the first time*
plac (g) – *plaque*
hyn – *this*

*Gwesty Penygwryd ar bwys y Glyder Fawr a'r Glyder Fach*

## Trên bach yr Wyddfa

Mae hanner miliwn o bobl yn mynd i gopa'r Wyddfa bob blwyddyn. Mae rhai'n cerdded neu'n dringo, ond mae eraill yn mynd ar y trên bach o *orsaf* Llanberis.

- 1896 – agor *Rheilffordd* yr Wyddfa (Snowdon Mountain Railway)
- £76,000 – cost y rheilffordd yn wreiddiol
- 4 – mae'r trac yn bedair milltir *o hyd*
- 5 – mae'r trenau'n teithio ar bum milltir yr awr.

Mae Gwyrfai Williams o Lanberis yn gweithio i Reilffordd yr Wyddfa.

**" *Ers pryd dach chi'n gweithio i Reilffordd yr Wyddfa?***
Mi wnes i ddechrau fel gard yn yr orsaf, 26 *mlynedd yn ôl.* Ond dw i'n gweithio fel *gyrrwr* rŵan ers 15 mlynedd.

*Faint o bobl sy'n medru mynd yn y trên?*
Mae un *cerbyd* yn teithio *ar y tro.* Mae 55 person mewn un cerbyd.

*Pa mor hir ydy'r* daith?
Mae'r daith yn ddwy awr a hanner o hyd – i fyny ac i lawr y mynydd. Dach chi'n cael hanner awr ar y copa.

*Be' ydy eich* hoff ran *o'r daith?*
Ar *ran* uchaf y daith, mae *cwymp* mawr o 2,000 troedfedd. Dw i'n hoffi gweld y *syndod* ar wynebau'r *teithwyr* ar y trên!

*Oes rhywbeth doniol wedi digwydd ar y rheilffordd?*
Oes. Pan fydd hi'n brysur, mae dau drên yn *dilyn* ei gilydd, tua dau funud *ar wahân. Un tro, ro'n i'n* gyrru'r trên cyntaf i lawr drwy *doriad* hir. Ar ôl dod drwy'r toriad, mi wnes i edrych yn ôl. Roedd yr injan arall yn dilyn, ond heb y cerbyd! Roedd y *breciau awtomatig* wedi dod ymlaen ar y cerbyd, a'r injan wedi mynd ymlaen *hebddo fo.* Mi ddaeth y teithwyr i gyd allan a *churo dwylo* pan ddaeth yr injan yn ôl.

*Ydy pobl yn cael dod ag anifeiliaid ar y trên?*
Nac ydyn. Mae *cŵn tywys* yn medru dod, ond dim cŵn eraill. Un tro mi wnaeth ci *frathu* un o'r teithwyr. Felly mae *rheol:* dim ond cŵn tywys.

*Mae'r rheilffordd yn cau rhwng dechrau mis Tachwedd a chanol mis Mawrth. Felly dach chi ddim yn gyrru'r trenau. Ond dach chi'n dal yn brysur?*
Ydw, siŵr iawn! Dw i'n glanhau'r injans ac yn *trwsio* pan fydd angen. Mae gwaith peintio hefyd. Felly mae digon o waith i ni drwy'r flwyddyn.

*Be' dach chi'n hoffi am y gwaith?*
Dw i'n hoffi cyfarfod pobl. Mae pobl yn dod o *bedwar ban y byd.* Dw i'n mwynhau ochr 'PR' y gwaith.

*Be' dach chi'n hoffi wneud yn eich amser sbâr?*
Dw i'n aelod o *Seindorf Arian* Llaneurgain. Dw i'n canu'r *corn bariton.* Ond, cofiwch, dw i ddim yn canu'r corn a gyrru'r trên *yr un pryd!* **"**

gorsaf (b) – station
rheilffordd (b) – railway
hyd (g) – length
blynedd – years (un. blwyddyn b)
yn ôl – ago
gyrrwr (g) – driver
cerbyd (g) – carriage
ar y tro – at a time
taith (b) – journey
hoff ran – favourite part
rhan (b) – part
cwymp (g) – drop
syndod (g) – amazement
teithwyr – passengers (un. teithiwr g)
dilyn – to follow

ar wahân – apart
un tro – on one occasion
ro'n i – I was
toriad (g) – cutting
breciau awtomatig – automatic brakes
hebddo fo – without it
curo dwylo – to applaud
cŵn tywys – guide dogs (un. ci tywys g)
brathu – to bite
rheol (b) – rule
trwsio – to repair
pedwar ban y byd – four corners of the world
seindorf arian – silver band
corn bariton (g) – baritone horn
yr un pryd – at the same time

*Trên bach yr Wyddfa*

## Hafod Eryri

Hafod Eryri ydy'r enw ar yr *adeilad* newydd ar gopa'r Wyddfa.

Mi wnaeth *cwmni* Furneaux Stewart *gynllunio* Hafod Eryri.

Mi wnaeth o agor yng *ngwanwyn* 2008. Mae dwy wal *wydr* i'r adeilad er mwyn gweld copa'r Wyddfa a mynydd Moel Hebog.

Cyn Hafod Eryri, roedd hen gaffi ar y copa. Mi wnaeth Syr Clough Williams Ellis gynllunio'r hen gaffi. Fo oedd *pensaer* pentref Portmeirion. Mi wnaeth yr hen gaffi agor yn 1935. Ond *erbyn* y 1990au, roedd y caffi'n edrych yn ofnadwy. Mi wnaeth y *Tywysog* Charles ddweud 'Caffi'r Wyddfa ydy'r *slym* uchaf yng Nghymru'.

adeilad (g) – *building*
cwmni (g) – *company*
cynllunio – *to plan*
gwanwyn (g) – *spring*
gwydr (g) – *glass*
pensaer (g) – *architect*
erbyn – *by*
tywysog (g) – *prince*
slym (g) – *slum*

### Siawns am sgwrs?

> Be' dach chi'n feddwl o Hafod Eryri?

> Does dim angen caffi ar gopa'r Wyddfa!

*Hafod Eryri*

Yn ôl y chwedl, mi wnaeth y *Brenin* Arthur daflu ei *gleddyf* i Lyn Llydaw. Wedyn mi wnaeth o *hwylio* efo *morynion* y mynyddoedd i *Ynys Afallon*.

Mae chwedl am Lyn Glaslyn hefyd: Yn ymyl Betws y Coed, roedd *anghenfil* dŵr yn byw mewn pwll. Roedd dŵr o'r pwll yn dod dros y caeau i gyd. Roedd y ffermwyr yn flin ac isio cael yr *afanc* o'r llyn. Ond roedd yr afanc yn fawr ac yn *gryf*. Mi ddaeth merch i ganu i'r afanc, ac mi aeth o i gysgu.

Mi wnaeth y ffermwyr *lusgo*'r afanc a'i daflu i Lyn Glaslyn. Wnaeth neb ei weld o wedyn.

brenin ( ) – *king*
cleddyf ( ) – *sword*
hwylio – *to sail*
morynion – *maids* (un. morwyn b)
Ynys Afallon – *Avalon*
anghenfil ( ) – *monster*
afanc ( ) – *monster* (water-based)
cryf – *strong*
llusgo – *to drag*

## Ras yr Wyddfa

Mae Ras yr Wyddfa'n digwydd bob mis Gorffennaf. Mi wnaeth y ras gyntaf ddigwydd yn 1976. Ken Jones oedd yr *ysgrifennydd*.

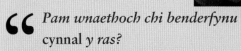

**"** *Pam wnaethoch chi benderfynu cynnal y ras?*
Rhywbeth bach lleol oedd y ras *i fod* – dim ond **un** ras, hefyd, rhywbeth i ni yma yn Llanberis.

*Faint o* redwyr *ddaeth y tro cyntaf?*
Mi ddaeth 86 o redwyr y tro cyntaf. Roedd hi'n *llwyddiannus* iawn. Mi wnaethon ni benderfynu cynnal ras arall, ac mae hi'n dal i fynd. Rŵan mae *miloedd* o redwyr yn dod.

*Chi oedd yr ysgrifennydd?*
Ia, fi oedd ysgrifennydd y ras am 30 mlynedd, o 1976 i 2005.

*Ydy'r ras yn anodd?*
Ydy, mae hi'n ddeg milltir o hyd, o Lanberis i gopa'r Wyddfa a nôl. Rhaid rhedeg i fyny ac i lawr *yr un* cwrs. *Felly* rhaid mynd heibio i'r rhedwyr eraill ar y *llwybr cul*. Mae'r mynydd yn sych yn yr haf ac mi fydd rhedwyr yn *syrthio*. Weithiau mi fydd rhedwyr yn *llewygu* neu isio dŵr *pan* fydd hi'n boeth.

Yn ras yr Wyddfa, mae'r rhedwyr yn rhedeg i fyny **ac** i lawr y mynydd. Ond ar y *cyfandir*, mae'r ras yn gorffen ar gopa'r mynydd.

*Be' ydy record y cwrs?*
Mae dwy record gan y ras yma – un i'r copa ac un am y ras gyfan. Robin Bryson sy'n dal y record i'r copa – 39 munud 47 eiliad ym 1985. Yn yr un flwyddyn, mi wnaeth Kenny Stuart o Keswick redeg y cwrs i gyd mewn 1 awr 2 funud a 29 eiliad. Gan C. Greenwood mae'r record i ferched – 1 awr 12 munud 48 eiliad yn 1993.

*Oes rhedwyr yn dod o'r cyfandir?*
Mae llawer o redwyr yn dod o'r Eidal, o
dref o'r enw Morbegno. Mi ddaethon
nhw i redeg yn 1980 ac ennill y ras.
Wedyn roedd y tri rhedwr cyntaf yn ras
yr Wyddfa yn cael mynd i redeg yn eu
ras nhw yn yr Eidal. Rŵan mae'r tri
rhedwr cyntaf o'r Eidal yn dod i Lanberis
bob blwyddyn hefyd. Oherwydd y ras,
mae Morbegno a Llanberis wedi
*gefeillio.* 🙿

## Cadw'n ddiogel ar y mynydd

Rhaid bod yn ofalus ar y mynydd. Mae
*damweiniau*'n digwydd ac mae pobl yn
mynd *ar goll.*

Sut mae cadw'n *ddiogel* ar y mynydd?
- Rhowch fwyd llawn *egni*, a *dŵr* yn
  eich bag.
- Cofiwch fynd â map a chwmpawd efo
  chi. Ond – dach chi'n gwybod sut i'w
  defnyddio nhw?
- Dwedwch wrth rywun lle dach chi'n
  mynd a phryd dach chi'n dod nôl.
- Peidiwch meddwl 'Mae hi'n braf. Dw
  i'n mynd i wisgo crys T a *siorts.*'
  Mae'r tywydd ar y mynydd yn
  wahanol. Hefyd, byddwch yn barod,
  *rhag ofn* i'r tywydd newid:
- Gwisgwch ddillad sy'n *dal dŵr.*

- Gwisgwch *haenau* cynnes, ewch â *menig*
  a het hefyd, rhag ofn.
- Gwisgwch esgidiau *cadarn, cyfforddus.*
- Ffoniwch yr heddlu mewn *argyfwng* a
  dwedwch lle dach chi ar y mynydd.

ysgrifennydd (g) – *secretary*
cynnal – *to hold*
i fod – *supposed to be*
rhedwyr – *runners* (un. rhedwr g)
llwyddiannus – *successful*
miloedd – *thousands* (un. mil b)
yr un – *the same*
felly – *so*
llwybr (g) – *path*
cul – *narrow*
syrthio – *to fall*
llewygu – *to faint*
pan – *when*
cyfandir (g) – *continent*
gefeillio – *to twin*
damweiniau – *accidents* (un. damwain b)
ar goll – *lost*
diogel – *safe*
egni (g) – *energy*
dŵr (g) – *water*
siorts (g) – *shorts*
rhag ofn – *in case*
dal dŵr – *waterproof*
haenau – *layers* (un. haen b)
menig – *gloves* (un. maneg b)
cadarn – *strong, well-built*
cyfforddus – *comfortable*
argyfwng (g) – *emergency*
esgeulus – *negligent*

**Siawns am sgwrs?**

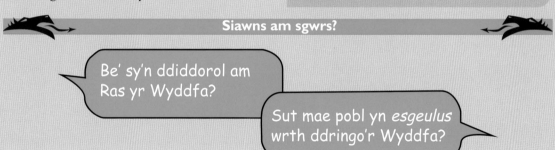

Be' sy'n ddiddorol am
Ras yr Wyddfa?

Sut mae pobl yn *esgeulus*
wrth ddringo'r Wyddfa?

## Cŵn Achub Mynydd

Mae SARDA Cymru *(Search and Rescue Dog Association)* yn *hyfforddi* cŵn i *achub* pobl ar y mynydd. Siân Williams ydy ysgrifennydd SARDA Cymru.

"I ddechrau, mae pobl yn dod aton ni heb gi. Maen nhw'n helpu i hyfforddi cŵn pobl eraill. Rhaid iddyn nhw fynd i rywle ar y mynydd, ac aros i'r ci ddod i'w 'hachub' nhw. Rhaid i'r person ddod i lawer o *sesiynau*. Wedyn, maen nhw'n trio cael eu ci bach *eu hunain*.

Ar ôl cael ci bach, maen nhw'n dysgu'r ci i fod yn *ufudd*. Rhaid i'r ci redeg drwy gae o *ddefaid*, *gwartheg* neu *geffylau* heb aros. Hefyd, rhaid i'r ci aros *yn llonydd* – am 10 neu 15 munud. Mae hyn yn bwysig. Does neb isio ci yn rhedeg o gwmpas mewn argyfwng.

Mae'r hyfforddiant yn eitha hir, ond mae o fel gêm. Ar y dechrau, mae'r *perchennog* yn *gweiddi* ar y ci, ac yn cuddio. Rhaid i'r ci chwilio amdano. Wedyn mae person arall yn gweiddi ac yn cuddio. Erbyn y diwedd, mae'r ci'n defnyddio ei drwyn i chwilio am berson. Mae'n dod i 'ddweud' wrth y perchennog ar ôl *dod o hyd i*'r person. Hefyd, rhaid i'r perchennog fod yn aelod o'r tîm achub mynydd."

Mae SARDA yn gwneud gwaith pwysig iawn. Maen nhw'n dod o hyd i bobl sydd ar goll neu wedi *crwydro*. Yn aml, mae'r heddlu yn galw ar SARDA i'w helpu.

hyfforddi – *to train*
achub – *to rescue*
sesiynau – *sessions* (un. sesiwn b)
eu hunain – *themselves* (un. ei hunan g/b)
ufudd – *obedient*
defaid – *sheep* (un. dafad b)
gwartheg – *cattle*

ceffylau – *horses* (un. ceffyl g)
yn llonydd – *still*
perchennog (g) – *owner*
gweiddi – *to shout*
dod o hyd i – *to find*
crwydro – *to stray*
perchnogion – *owners* (un. perchennog g)

*Rhai o gŵn achub SARDA gyda'u* perchnogion

Oes ci gynnoch chi?
Neu
Oes ci wedi bod
gynnoch chi?

Dach chi wedi bod ar
goll ar y mynydd?
Be' wnaeth ddigwydd?

Be' dach chi'n feddwl
o'r cŵn achub mynydd
a'u *perchnogion*?

Y tîm yn gweithio

## Rob Piercy – Arlunydd

Mae Rob Piercy yn peintio lluniau o Eryri. Mae gynno fo stiwdio ac *oriel* ym Mhorthmadog. Mae o'n *arddangos* lluniau yno ac mae pobl o *bob man* yn eu prynu nhw.

**"** *Sut wnaethoch chi ddechrau peintio lluniau o'r mynyddoedd?*
Wel, dw i'n dod o Borthmadog yn wreiddiol. Mi es i i Ysgol Eifionydd. Yn y *chweched* dosbarth, mi wnes i ddechrau dringo *creigiau,* a mwynhau yn fawr iawn. Hefyd, mi wnes i astudio *celf.* Wedyn, mi es i i'r coleg ym Mangor i fod yn athro celf, a gweithio fel athro yn Lerpwl am dair neu bedair blynedd.

*Be' wnaeth ddigwydd ar ôl i chi fod yn Lerpwl?*
Mi wnes i symud nôl i Borthmadog wedyn. Nid i fod yn athro celf, ond i ddysgu gweithgareddau *awyr agored.* Pethau fel cerdded mynyddoedd, canŵio, a *gwersylla.* Mi wnes i ddechrau peintio eto – lluniau o Eryri – ac mi wnes i arddangos y lluniau yn Oriel *Plas* Glyn-y-Weddw, yn Llanbedrog. Mi wnaeth y lluniau werthu.

*Tua chanol* yr 80au mi wnes i feddwl, 'Dw i isio peintio'n *llawn amser.*'

*Pryd wnaethoch chi ddechrau peintio'n llawn amser?*
I ddechrau, mi wnes i brynu hen *warws* y Bwrdd Dŵr ym Mhorthmadog yn 1986. Mi wnes i ei *droi* o yn oriel a stiwdio. Mi wnaeth fy ngwraig redeg y lle am dipyn, ond roedd gynnon ni dri o blant bach. Felly, yn 1989, mi wnes i adael fy *swydd* dysgu. A dw i'n *dal i* beintio!

*Lle dach chi'n peintio rŵan?*
Wel, dw i'n mynd i ddringo mynyddoedd ac wedyn dw i'n peintio. Dw i'n mynd i Eryri, *Bannau Brycheiniog,* a'r Alban i ddringo, a dw i'n hoffi arfordir Cymru hefyd. Mae'r mynyddoedd yn edrych yn *drawiadol* yn y gaeaf, ond mae hi'n oer iawn i *dynnu llun.* Felly dw i'n *tynnu llun efo camera* fel arfer. Wedyn dw i'n peintio'r lluniau yn y stiwdio. **"**

oriel (b) – *gallery*

arddangos – *to exhibit*

pob man – *everywhere*

chweched – *sixth*

creigiau – *rocks* (un. craig b)

celf (b) – *art*

awyr agored – *open air*

gwersylla – *to camp*

plas (g) – *mansion*

tua – *about*

canol – *middle*

llawn amser – *full-time*

warws (g) – *warehouse*

troi – *to turn*

swydd (b) – *job, post*

dal i – *still*

Bannau Brycheiniog – *Brecon Beacons*

trawiadol – *stunning*

tynnu llun – *to draw a picture*

tynnu llun efo camera – *to take a photo*

*Un o ddarluniau Rob Piercy*

**Siawns am sgwrs?**

Pam mae Rob Piercy yn arlunydd arbennig?

Oes llun gan arlunydd o Gymru gynnoch chi?

Pwy ydy'ch hoff arlunydd chi? Pam?

## Amgueddfa Lechi Cymru, Llanberis

Roedd llawer o *chwareli llechi* yn ardal y mynyddoedd mawr. Roedd un chwarel fawr yn Llanberis – chwarel Dinorwig. Roedd rheilffordd yn cario'r llechi o'r chwarel i'r *porthladd*. O Chwarel Dinorwig, roedd y llechi'n mynd i'r Felinheli (Port Dinorwic). Yn y canol, rhwng y chwarel a'r porthladd, roedd y perchnogion yn byw – yn y Faenol. Heddiw, mae *Amgueddfa* Lechi Cymru yn hen *weithdai* chwarel Dinorwig. Roedd tair mil o ddynion yn gweithio yn y chwarel *ar un adeg*.

Yn yr Amgueddfa dach chi'n medru gweld *chwarelwr* yn *hollti* llechi. Hefyd,

dach chi'n medru gweld llawer o adeiladau, *er enghraifft*:

1. *Rhes o dai* – 1, 2, 3 a 4 Fron Haul
Mae'r tai'n dod o Flaenau Ffestiniog. Mae pob tŷ yn *wahanol*.
- Mae 1 Fron Haul fel roedd tŷ chwarelwr yn 1861.
- Mae 2 Fron Haul fel roedd tŷ chwarelwr ym Methesda yn 1901 adeg Streic y Penrhyn. Mi aeth 2,800 o ddynion ar streic ond mi wnaethon nhw golli yn y diwedd. Mi wnaeth llawer o chwarelwyr adael ardal Bethesda. Mi aethon nhw i Dde Cymru i gael gwaith.
- Mae 3 Fron Haul fel roedd tŷ chwarelwr yn Llanberis yn 1969. Mi wnaeth chwarel Dinorwig gau yn 1969. Mi wnaeth 350 o ddynion golli eu gwaith.
- Mae grwpiau addysg yn dod i ystafelloedd 4 Fron Haul i ddysgu am y chwareli.

*Amgueddfa Llechi Cymru*

2. *Caban* y Chwarelwyr

Yn y caban, roedd y chwarelwyr yn:

- cael cinio – bwyta ac yfed te
- siarad a thrafod
- clywed '*llywydd*' y caban yn darllen o'r papur newydd ac yn dweud beth oedd yn digwydd yn yr ardal: cyngerdd neu *oedfa*
- *cystadlu* yn eisteddfod y caban – canu, *adrodd* ac ysgrifennu *llenyddiaeth*.

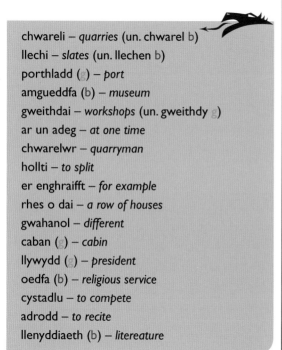

chwareli – *quarries* (un. chwarel b)
llechi – *slates* (un. llechen b)
porthladd (g) – *port*
amgueddfa (b) – *museum*
gweithdai – *workshops* (un. gweithdy g)
ar un adeg – *at one time*
chwarelwr – *quarryman*
hollti – *to split*
er enghraifft – *for example*
rhes o dai – *a row of houses*
gwahanol – *different*
caban (g) – *cabin*
llywydd (g) – *president*
oedfa (b) – *religious service*
cystadlu – *to compete*
adrodd – *to recite*
llenyddiaeth (b) – *litereature*

Siawns am sgwrs?

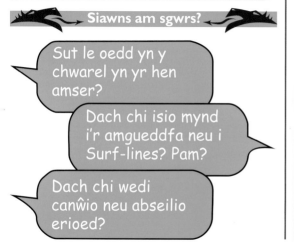

Sut le oedd yn y chwarel yn yr hen amser?

Dach chi isio mynd i'r amgueddfa neu i Surf-lines? Pam?

Dach chi wedi canŵio neu abseilio erioed?

## Llyn Llanberis – Surf-lines

Dach chi isio canŵio ar lyn Llanberis? Dach chi isio mynd i ddringo creigiau neu 'abseilio' yn Eryri? Mae cwmni Surf-lines yn medru eich helpu chi! Mae'r cwmni yn Llanberis ers 2000. Nick Cunliffe ydy un o'r perchnogion. Mae *mwy a mwy* o bobl yn hoffi gwneud gweithgareddau awyr agored. Mae plant 8 oed a phobl 70+ oed yn dod i fwynhau yn Eryri. Oes gynnoch chi hen *bâr o 'trainers'*? Does dim isio dim byd arall. Mae popeth arall gan y cwmni! Felly, *ewch amdani*!

mwy a mwy – *more and more*
pâr (g) – *pair*
ewch amdani – *go for it*

# Beddgelert – Stori Gelert

Mae pentref Beddgelert yn enwog am stori Gelert, ci Llywelyn Fawr, Tywysog Cymru (1173-1240).

Un diwrnod, mi aeth Llywelyn i *hela*.

Mi wnaeth o adael Gelert efo'i fab bychan a'i wraig o.

Mi ddaeth Llywelyn nôl, ac mi gafodd o *sioc*.

Roedd *gwaed* dros ei fab o.

Mi wnaeth Llywelyn ddweud, 'Gelert, rwyt ti wedi lladd fy mab i!'

Mi wnaeth o dynnu ei gleddyf a lladd y ci.

Ond wedyn mi wnaeth o weld *blaidd* wedi marw yn y gornel.

Mi wnaeth o glywed ei fab o'n crio.

Roedd Gelert wedi *amddiffyn* ei fab o.

Mi wnaeth Llywelyn wneud bedd i Gelert.

Dyna lle mae pentref Beddgelert heddiw.

Ydy'r stori'n *wir*? Efallai. Ond roedd *sant* o'r enw Celert hefyd. Ac roedd *priordy* yn y pentref i Sant Celert. Rhaid i chi benderfynu ydy'r stori'n wir. Ond mae'n *werth* mynd i bentref Beddgelert a darllen y stori ar y *llechen*.

hela – *to hunt*
sioc (b) – *shock*
gwaed (g) – *blood*
blaidd (g) – *wolf*
amddiffyn – *to defend*
gwir – *true*
sant (g) – *saint*
priordy (g) – *priory*
gwerth – *worth*
llechen (b) – *slate*

## Dysgu yn Eryri – Plas Tan y Bwlch

Dach chi isio dysgu yn Eryri? Dewch i Blas Tan y Bwlch. Dyma hen gartref teulu Oakeley. Nhw oedd perchnogion Chwarel yr Oakeley ym Mlaenau Ffestiniog. Mae'r plas ym Maentwrog, hanner ffordd rhwng y chwarel a Phorthmadog.

Yn 1975 mi ddaeth Tan y Bwlch yn *ganolfan* i'r Parc Cenedlaethol. Mae 70 o bobl yn medru aros dros nos. Mae llawer o gyrsiau *ar gael*: cyrsiau i *ddisgyblion* ysgol; cyrsiau hamdden a chyrsiau proffesiynol.

Mae Hywyn Williams yn swyddog addysg ym Mhlas Tan y Bwlch. Mae o'n dweud:

“ Mae'r plas mewn *lle* gwych i astudio'r ardal a'i hanes. Dydy'r Wyddfa ddim yn bell. *O fewn* taith deg munud, mae mynyddoedd a *thraethau*. Mae'r cyrsiau hamdden hefyd yn *amrywiol* iawn, cyrsiau bywyd gwyllt, crefft, ffotograffiaeth, cerdded, arlunio ac ati. ”

canolfan (g/b) – *centre*
ar gael – *available*
disgyblion – *pupils* (un. disgybl g)
lle (g)– *spot, location*
o fewn – *within*
traethau – *beaches* (un. traeth g)
amrywiol – *varied*

*Plas Tan y Bwlch*

# Fferm Fynydd Gelli Lydan

Mae ffferm Gelli Lydan ym mhentref Pren-teg, yn ymyl Porthmadog. Mae tir y ffferm yn mynd o afon Glaslyn i fyny i gopa Moel Ddu (520 metr / 1,800 troedfedd). Teulu Gwilym Evans ydy'r *seithfed genhedlaeth* i fyw ar y ffferm.

Mae gwraig Gwilym, Phyllis Evans, wedi gwneud taith gerdded ar y ffferm. Mae plant ysgol ac oedolion yn medru dod i'r ffferm i gerdded i gopa Moel Ddu. Mae *golygfeydd* hyfryd yno. Os ydy hi'n braf, dach chi'n medru gweld ar hyd arfordir *Bae Ceredigion*, heibio i Gastell Harlech i lawr i Aberystwyth.

Mae'r ffferm yn derbyn arian *cynllun* Tir Gofal. Mae Phyllis yn egluro beth maen nhw'n wneud efo'r arian:

66 Dan ni'n defnyddio arian Tir Gofal i gadw'r ffferm yn daclus, ac i *warchod olion hanesyddol*. Mae gynnon ni olion tai hir a hen *fythynnod* ar y ffferm. Roedd llawer o bobl yn byw yn yr ardal *ers talwm*. Er enghraifft, roedd deg o bobl yn byw mewn un bwthyn ar y ffferm.

Hefyd, dan ni'n gwarchod *cynefinoedd* bywyd gwyllt ar y ffferm.

Dan ni'n gofalu am *wrychoedd* a *choedlannau*. Mae *dyfrgwn* yn Afon Glaslyn, felly dan ni wedi gwneud *gwâl* dyfrgwn yma. Dw i wedi gweld dyfrgi unwaith!

Mae'r waliau cerrig yn bwysig iawn. Dan ni wedi defnyddio arian Tir Gofal i godi tua 2,000 metr o waliau cerrig. Mae hyn yn ddrud, ond mae'r arian wedi rhoi gwaith i bobl leol. Felly mae arian Tir Gofal yn *cylchdroi* yn yr economi lleol. 99

seithfed – *seventh*
cenhedlaeth (b) – *generation*
golygfeydd – *views* (un. golygfa b)
Bae Ceredigion – *Cardigan Bay*
cynllun (g) – *scheme*
gwarchod – *to protect, conserve*
olion hanesyddol – *historical remains*
bythynnod – *cottages* (un. bwthyn g)
ers talwm – *a long time ago*
cynefinoedd – *habitats* (un. cynefin g)
gwrychoedd – *hedges* (un. gwrych g)
coedlannau – *glades* (un. coedlan g)
dyfrgwn – *otters* (un. dyfrgi g)
gwâl (b) – *lair, den*
cylchdroi – *to circulate*

**Siawns am sgwrs?**

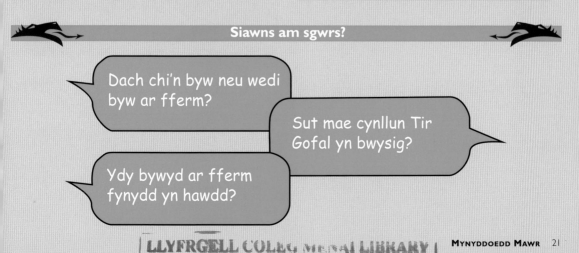

Dach chi'n byw neu wedi byw ar ffferm?

Sut mae cynllun Tir Gofal yn bwysig?

Ydy bywyd ar ffferm fynydd yn hawdd?

## Bywyd Gwyllt Eryri

Mae llawer o *ymwelwyr* yn dod i ardal Eryri bob blwyddyn. Ond mae llawer o fywyd gwyllt yno hefyd. Rhaid trio *cadw cydbwysedd* rhwng yr ymwelwyr a'r bywyd gwyllt.

## Lili'r Wyddfa

Y *botanegydd* Edward Llwyd (1660-1709) wnaeth *sylwi ar* Lili'r Wyddfa gyntaf. Enw Lladin Lili'r Wyddfa yw *Lloydia Serotina*, i gofio am Edward Llwyd.

Mae'r Lili'n tyfu yn yr Arctig a'r Alpau. Dim ond yn Eryri mae hi'n tyfu ym Mhrydain.

Mae hi'n *blodeuo* am wythnos neu ddwy yn yr haf. Oherwydd newid hinsawdd, *mi allai*'r Lili *ddiflannu*.

Lili'r Wyddfa ydy logo *Cymdeithas* Edward Llwyd, Cymdeithas *Naturiaethwyr* Cymru. Maen nhw'n trefnu *teithiau cerdded* Cymraeg ym mhob rhan o Gymru.

Roedd Edward Llwyd (neu Lhuyd yn wreiddiol) yn byw yn ymyl *Croesoswallt*. Mi aeth o i Goleg yr Icsu, Rhydychen yn 1682 ac mi ddaeth o yn *geidwad* Amgueddfa Ashmole yno yn 1691. Mi wnaeth o deithio drwy Gymru a'r gwledydd Celtaidd yn casglu gwybodaeth am *blanhigion* a'r ieithoedd Celtaidd.

---

ymwelwyr – *visitors* (un. ymwelydd g)
cadw cydbwysedd – *to keep a balance*
botanegydd (g) – *botanist*
sylwi ar – *to notice*
blodeuo – *to flower*
mi allai – *could*
diflannu – *to disappear*

cymdeithas (b) – *society*
naturiaethwyr – *naturalist* (un. naturiaethwr g)
teithiau cerdded – *walks* (un. taith gerdded b)
Croesoswallt – *Oswestry*
ceidwad (g) – *keeper*
planhigion – *plants* (un. planhigyn g)
ieithoedd – *languages* (un. iaith b)

## Problem Rhododendron yn Eryri

Mae blodyn porffor rhododendron (*Rhododendron ponticum*) yn hardd iawn. Mi ddaeth o'n boblogaidd mewn gerddi *yn Oes Fictoria*.

Ond, mae'r rhododendron yma'n *ymledu*'n gyflym.

Mae'r gwynt yn medru cario'r *hadau* am tua 2km.

Mae un rhododendron yn medru gwneud **miliwn** o hadau!

Heddiw, mae rhododendron yn cymryd drosodd yn Eryri. Mae hi'n broblem fawr. Ond mae'r Parc Cenedlaethol yn gwneud rhywbeth.

Mae gynnyn nhw *swyddog* arbennig o'r enw Peter Jackson. Ei waith o ydy trefnu'r gwaith o *gael gwared ar* y rhododendron. Mae grwpiau o bobl yn mynd allan i'w *drin*.

Maen nhw wedi gwneud llawer o waith, ond mae digon o waith i'w wneud eto.

yn Oes Victoria – *in the Victorian age*
ymledu – *to spread*
hadau – *seeds* (un. had, hedyn g)
swyddog (g) – *officer*
cael gwared ar – *to get rid of*
trin – *to treat*

*Gweithwyr yn clirio'r rhododendron*

### Siawns am sgwrs?

Dach chi'n hoffi cerdded? Be' am ymuno â Chymdeithas Edward Llwyd?

Be' dach chi'n feddwl o broblem y rhododendron?

## Gweilch y Pysgod

Yn yr Alban, mae tua 200 pâr o *weilch y pysgod* yn *nythu*. Maen nhw'n hedfan heibio i Gymru i fynd i *orllewin* Affrica yn y gaeaf. Ond doedd dim pâr wedi nythu yng Nghymru tan 2004. Yna, yn 2004, mi wnaeth pobl weld pâr o weilch y pysgod yn gwneud *nyth* yn ymyl afon Glaslyn.

Mae Emyr Evans yn gweithio fel Swyddog Prosiect Gweilch y Pysgod efo'r RSPB.

" Yn 2004, mi ddaeth storm fawr. Doedd y nyth ddim yn ddiogel iawn. Mi wnaeth hi syrthio yn y storm. Roedd dau *gyw* yn y nyth, ond mi wnaethon nhw farw.

Erbyn 2005, mi wnaeth yr RSPB adeiladu nyth newydd iddyn nhw. Mi ddaeth y gweilch nôl. Mi gaethon nhw ddau gyw yn 2005, a dau gyw hefyd yn 2006 a 2007.

Bob blwyddyn, ar ôl i'r gweilch *ddodwy wyau*, rhaid i ni warchod y nyth 24/7. Mae *casglwyr* wyau'n broblem fawr. Mae gynnon ni gamera wrth y nyth. Dach chi'n medru dod i weld y gweilch mewn *cuddfan* arbennig.

Dan ni wedi *modrwyo*'r cywion i gyd. Mi fyddan nhw'n dod nôl i nythu efo'u rhieni, gobeithio! "

gweilch y pysgod – *ospreys* (un. gwalch g)
nythu – *to nest*
gorllewin – *west*
nyth (b) – *nest*
cyw (g) – *chick*
dodwy wyau – *lay eggs*
casglwyr – *collectors* (un. casglwr g)
cuddfan (g) – *a hide*
modrwyo – *to ring*

*Dau gyw Gweilch y Pysgod*

## Gwarchod Bywyd Gwyllt Eryri

Mae Kate Williamson yn gweithio i Barc Cenedlaethol Eryri. *Cydlynydd Bioamrywiaeth* y Parc ydy hi.

❝ Dan ni'n medru gwneud llawer o bethau i warchod bywyd gwyllt Eryri. Cadw cynefinoedd pwysig. A gwneud lle yn ein gerddi i fywyd gwyllt – i adar, *pili-palod* a *draenogod*. ❞

Mae Kate yn gweithio ar Atlas *Mamaliaid* Eryri. Mae o'n *brosiect* 5 mlynedd. Rhaid *cofnodi* lle mae mamaliaid yn byw a *nifer* y mamaliaid. Mae'n bwysig gwybod hyn *ar gyfer y broses cynllunio*. Hefyd, mi fydd y Parc yn medru *targedu* prosiectau eraill. Mi fyddwn ni'n medru gwarchod y mamaliaid a *chymharu niferoedd* yn y dyfodol.

Mae llawer o bobl yn *cymryd rhan* yn y prosiect:
Mae plant yn cofnodi *tyrchod daear* neu *lwynogod*.
Mae *myfyrwyr prifysgol* yn cofnodi mamaliaid anodd eu gweld.
Mae pobl yn mynd ar deithiau cerdded i chwilio am *olion* mamaliaid.
Mae pobl yn dysgu *sgiliau* adnabod mamaliaid.

Ydy'r prosiect wedi dangos rhywbeth newydd?

❝ Mae gynnon ni *bele'r coed* yn y Parc. Mae'r *wiwer* goch yn byw yn ardal y Bala. Hefyd, mae gynnon ni lawer o *ysgyfarnogod*. ❞

cydlynydd ( ) – *co-ordinator*
bioamrywiaeth – *biodiversity*
pili-palod – *butterflies* (un. pili-pala )
draenogod – *hedgehogs* (un. draenog )
mamaliaid – *mamals* (un. mamal )
prosiect ( ) – *project*
cofnodi – *to record*
nifer ( ) – *number*
ar gyfer y broses cynllunio – *for the planning process*
targedu – *to target*
cymharu niferoedd – *to compare numbers*
cymryd rhan – *to take part*
tyrchod daear – *moles* (un. twrch daear )
llwynogod – *foxes* (un. llwynog )
myfyrwyr prifysgol – *university students* (un. myfyriwr )
olion – *tracks/traces* (un. ôl )
sgiliau – *skills* (un. sgìl )
bele'r coed ( ) – *pine marten*
gwiwer (b) – *squirrel*
ysgyfarnogod – *hares* (un. ysgyfarnog b)
baw ( ) – *excrement*

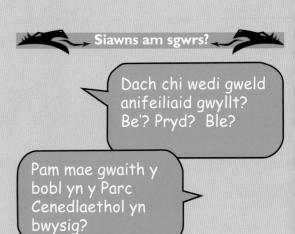

### Siawns am sgwrs?

Dach chi wedi gweld anifeiliaid gwyllt? Be'? Pryd? Ble?

Pam mae gwaith y bobl yn y Parc Cenedlaethol yn bwysig?

*Kate Williamson a myfyriwr yn edrych am olion mamaliaid mewn baw dyfrgi*

## Cadair Idris

Mae Cadair Idris (2,930 troedfedd / 893 metr) yn fynydd enwog iawn. Mi wnaeth Richard Wilson beintio llun 'Cadair Idris a Llyn Cau' tua 1765. Yn Oes Fictoria roedd pobl yn dod i weld y mynydd ar y trên o Wrecsam i Abermaw.

*Pwy oedd Idris?*

Cawr oedd Idris. Ei gadair o ydy'r mynydd. Llyn Cau ydy'r sedd.

*Chwedl Cadair Idris*

Yn ôl y chwedl, mae un o ddau beth yn medru digwydd i chi os dach chi'n cysgu ar y mynydd. Mi fyddwch chi'n deffro *naill ai*'n *fardd* neu'n *wallgof!*

## Warden Cadair Idris

Mae Rhys Gwynn yn warden efo'r Parc Cenedlaethol yn ardal Cadair Idris.

❝ *Be' ydy wythnos waith warden?*

Am hanner awr wedi wyth bob dydd, dw i'n trefnu gwaith efo'r gweithwyr. Dw i'n cerdded y llwybrau cyhoeddus bob dydd. Mae isio torri gwair a choed, ac *atgyweirio camfa* neu *glwyd*. Wrth gerdded, dw i'n helpu efo'r Atlas Mamaliaid. Dw i'n cofnodi olion anifeiliaid.

Mae pobl yn byw a gweithio ym Mharc Cenedlaethol Eryri. Felly, mae'n bwysig siarad â nhw.

Dw i'n trafod â pherchnogion tir er mwyn gwneud llwybrau cerdded newydd. Mae pobl yn hoffi cael *teithiau cylch*. Dw i'n *arwain* teithiau cerdded yn yr ardal.

*Rhys Gwynn ar ben Cadair Idris, a dyffryn Mawddach yn y cefndir*

Wyneb *serth Cadair Idris*

Dw i'n siarad â phlant mewn ysgolion yn ystod y dydd, a dw i'n mynd i siarad â chymdeithasau lleol yn y nos.

Ar y penwythnosau, mae llawer o bobl yn dod i gerdded ar Gadair Idris. Os ydy hi'n niwlog, mae pobl yn medru mynd ar goll. Felly dw i'n eu harwain nhw *oddi ar* y mynydd.

Rhaid cadw'r mynydd yn daclus, *hel sbwriel* a chadw cŵn o dan *reolaeth*. Dydy pobl ddim yn cadw at *reolau cefn gwlad* bob amser. Mae Cadair Idris yn rhan brysur o'r Parc, ond mae rhannau eraill yn dawel iawn. Mae bywyd gwyllt yn *cael llonydd* yno. Mae ychydig o waith papur, ond dw i'n lwcus iawn – mae fy swyddfa i allan ar y mynydd!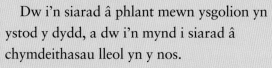

naill ai – *either*
bardd (g) – *poet*
gwallgof – *mad, insane*
atgyweirio – *to repair*
camfa (b) – *stile*
clwyd (b)– *gate*
teithiau cylch – *round trips*
arwain – *to lead*
dyffryn (g) – *valley*
wyneb (g) – *face*
oddi ar – *from*
hel sbwriel – *to collect rubbish*
rheolaeth (b) – *control*
rheolau cefn gwlad – *country codes*
cael llonydd – *to be left alone*

## Bethan Gwanas

Mae Bethan Gwanas yn *awdures* enwog. Mae hi wedi ysgrifennu llyfrau *Blodwen Jones* i ddysgwyr. Chwiliwch amdanyn nhw yn eich siop lyfrau leol! Hefyd hi ydy 'Michael Palin Cymru'. Mae hi wedi teithio i bedwar ban y byd ac mae'r rhaglenni teledu *Ar y Lein* yn *boblogaidd* iawn. Mae Bethan yn dod o Ddolgellau'n wreiddiol, ac mae hi wedi dod nôl i fyw i'r ardal.

**" *Pam wnest ti benderfynu dod nôl i ardal Dolgellau?***
Pan o'n i'n ifanc, 'twll o le' oedd Dolgellau. Ond ar ôl gadael, mi wnes i *sylweddoli* 'does unman yn debyg i gartref'.

*Pam mae'r ardal yn arbennig i ti?*
Mae'n hardd iawn yma. Rwyt ti'n medru clywed llawer o Gymraeg yn y wlad a'r pentrefi. Mae gen i deulu a ffrindiau ysgol yma. Felly dw i'n lwcus iawn. Mae hi'n ardal braf iawn i fyw ynddi hi. Bob bore cyn brecwast, dw i'n mynd am dro efo'r ci defaid coch Cymreig. Dw i'n mynd ar y beic rywbryd yn ystod y dydd, ac mae'r ci'n rhedeg. Mae digon o lwybrau gwahanol yma.

*Lle mae dy hoff le yn yr ardal?*
Mae gen i ddau hoff le: mynydd Cadair Idris a Llynnau Cregennen, rhwng Cadair Idris ac aber afon Mawddach.

Llynnau Cregennen

**Be' ydy'r pethau da am fyw yn y Parc?**
Y pethau da ydy harddwch, a does dim byngalos ym mhob man, fel yn Iwerddon. Mi es i i County Donegal yn ddiweddar, ac maen nhw wedi *difetha*'r lle. Ond y peth drwg am fyw yn y Parc ydy – dw i isio rhoi *paneli haul* ar *do*'r tŷ, ond dw i'n methu cael *caniatâd*! 🗩🗩

awdures – *authoress*
poblogaidd – *popular*
sylweddoli – *to realise*
difetha – *to ruin*
paneli haul – *solar panels* (un. panel )
to ( ) – *roof*
caniatâd ( ) – *permission*
tarddu – *to spring*

**Aran Fawddwy**

Mae mynydd Aran Fawddwy (2,969 troedfedd / 905 metr) rhwng Dinas Mawddwy a Llanuwchllyn. Mae llyn Creiglyn Dyfi yn ymyl y mynydd.

Mae afon Dyfi'n *tarddu* yma. Mae chwedl am y llyn – mae'r dŵr yn gwneud i chi fod yn ifanc am byth!

## Aros yn ymyl Aran Fawddwy – Gwely a Brecwast

Mae Menna Rowlands yn rhedeg busnes gwely a brecwast yn ei chartref, Tŷ Newydd, y Bala.

**" Ers pryd dach chi'n rhedeg y busnes?**

Mi wnes i ddechrau ym mis Mehefin 2007.

*Pam wnaethoch chi ddechrau'r busnes?*
Ro'n i'n gweithio yn y *ganolfan groeso*. Ond do'n i ddim isio gweithio'n llawn amser. Dw i'n hoffi cwrdd â phobl, felly, mi wnes i benderfynu rhedeg busnes gwely a brecwast.

*Dach chi'n brysur drwy'r wythnos?*
Ydan, ond mae'*r rhan fwyaf* o'r gwaith ar y penwythnos. Mae fy ngŵr, Arwel, yn fy helpu ar y penwythnos!

*Oes rhaid i chi godi'n gynnar?*
Oes, weithiau. Mae pobl isio mynd i gerdded neu i wneud chwaraeon dŵr. Ond fel arfer, dw i ddim yn gwneud brecwast cyn hanner awr wedi saith. Dw i'n codi am chwarter i saith i gael y brecwast yn barod. Dw i'n coginio popeth yn ffres.

*Sut mae pobl yn dod i wybod am Tŷ Newydd?*
Mae wyth deg *y cant* yn dod i wybod am y lle ar *y we*.

*Mae pedair seren gynnoch chi yma. Sut gaethoch chi'r pedair seren?*
Mi ddaeth pobl o'r *Bwrdd Croeso* i aros noson a chael brecwast. Hefyd, rhaid cael pethau fel teledu, peiriant DVD, tegell a *sychwr* gwallt yn yr ystafell.

*O le mae pobl wedi dod i aros efo chi?*
Mae pobl wedi dod o'r India, o'r *Almaen* ac o *Wlad Belg*. Mae'r rhan fwyaf yn dod o Loegr. Mae rhai pobl yn dod yma i siarad Cymraeg. Mi ddaeth pâr o Watford yma i siarad Cymraeg, a phâr o *Rydychen*. Felly croeso i chi hefyd! **"**

### Siawns am sgwrs?

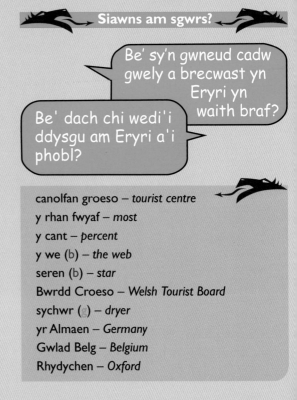

Be' sy'n gwneud cadw gwely a brecwast yn Eryri yn waith braf?

Be' dach chi wedi'i ddysgu am Eryri a'i phobl?

canolfan groeso – *tourist centre*
y rhan fwyaf – *most*
y cant – *percent*
y we (b) – *the web*
seren (b) – *star*
Bwrdd Croeso – *Welsh Tourist Board*
sychwr ( ) – *dryer*
yr Almaen – *Germany*
Gwlad Belg – *Belgium*
Rhydychen – *Oxford*